Muisje

Mirjam Oldenhave
met tekeningen van Ina Hallemans

Zwijsen

Een briefje

Muisje komt uit haar hol.
Wat is dat?
Er ligt een briefje.
Het briefje is van Zwijntje.
Muisje leest het snel.

Er staat:

> Dag Muisje,
> Ik geef een feestje.
> Een feestje voor jou en mij.
> Kom je?
> Kusje van Zwijntje.

Een feestje is leuk, denkt Muisje.
Maar ... wat trek ik aan?
Een rokje?
Of een broek?
Of een jurk?
Help, ik weet het niet!

3

Naar Haas en Rat

Ze rent naar Haas.
'Haas, ik wil naar een feestje.
Maar wat trek ik aan?'
Haas kijkt heel lang naar Muisje.
'Knoop een lintje in je staart!' zegt hij.
'Dat hoort echt bij een feestje!'
Goed plan, denkt Muisje.
Ze zoekt een lintje.
En dat doet ze in haar staart.
Een mooi, rood lint.
En is ze nu klaar?
Nee, nog lang niet!!

Ze rent naar Rat.
'Rat, ik wil naar een feestje.
Maar wat trek ik aan?'
Rat kijkt heel lang naar Muisje.
'Hang een bloem in je oor!' zegt ze.
'Dat hoort echt bij een feestje.'
Goed plan, denkt Muisje.
Ze zoekt een bloem.
En die doet ze in haar oor.
De bloem is groot en rood.
Wat staat het mooi!
Het lijkt wel een oorbel.
En is ze nu klaar?
Nee, nog lang niet!!

Worm en Slang

Muisje rent naar Worm.
'Worm, ik ga naar een feestje.
Maar wat trek ik aan?'
Worm kijkt heel lang naar Muisje.
'Ik weet wat!' zegt ze.
'Pluk een blad.
En nog een en nog een.
Heel veel!
Maak daar een rokje van.
Dat hoort echt bij een feestje.'
Goed plan, denkt Muisje.
Ze zoekt een blad.
En nog een en nog een.
En dan maakt ze een rokje.
Ze trekt het snel aan.
Wat staat het leuk, zeg!
En is ze nu klaar?
Nee, nog lang niet!!

Muisje rent naar Slang.
'Slang, ik ga naar een feestje.
Maar wat trek ik aan?'
Slang kijkt heel lang naar Muisje.
'Ik weet wat!' zegt ze.
'Zoek wat stro.

9

Met stro maak je een bloes!
Dat hoort echt bij een feestje!'
Goed plan, denkt Muisje.
Ze zoekt heel veel stro.
En dan maakt ze een bloes.
Ze trekt hem snel aan.
Wat staat het leuk, zeg!
En nu?
Nu is ze haast klaar.

11

Nu nog naar Uil

Muisje rent naar Uil.
'Uil, ik wil naar een feestje.
Maar wat trek ik aan?'
Uil kijkt heel lang naar Muisje.
'Een hoed!' zegt ze.
'Maak een hoed!'
Goed plan, denkt Muisje.
En ze zoekt een blad.
Ja, daar ligt er een.
Het is een heel, heel groot blad.
Ze zet het op haar hoofd.
Wat staat het goed, zeg!
En is ze nu klaar?
Ja, nu is ze klaar!
Nu kan ze naar het feestje.

Daar staan Haas en Rat.
En Uil en Slang en Worm.
'Dag Muis!
Je ziet er mooi uit!
Maak er een leuk feestje van.'
'Dag!' roept Muis.
'Dank je wel!'

13

Klaar voor het feestje

Muisje loopt naar het huis van Zwijntje.
Poe, poe!
Wat is die hoed zwaar.
En die bloes!
Wat is die bloes warm.
Oei, oei!
Wat is dat rokje zwaar.
Muisje puft en zucht.

Maar kijk eens!
Daar zit Zwijn.
Hij zit bij zijn huisje.
Voor hem staat een taart!
Hij heeft een hoed op zijn hoofd.
Het is een feesthoed!

'Ha, die Zwijn!' zegt Muisje.
'Ik kom op je feestje!'
'O, dat is leuk,' zegt Zwijn.
Maar hij kijkt niet blij.

Muisje zit bij Zwijn.
Ze wil wel taart.
Maar Zwijn geeft het niet.
Zwijn zegt ook niets!
Wat is er aan de hand?

15

Zwijn toch!

'Zwijn,' zegt Muisje.
'Het is toch je feestje?
Je kijkt zo sip!
Ben je niet blij dat ik er ben?'
Zwijn zucht heel diep.
'Ik mis Muisje!
Het was een feestje voor Muisje en mij.
Ik weet niet eens wie jij bent!'
Muisje lacht heel hard.
'O, nu snap ik het!' roept ze.
Ze gaat snel staan.
'Let maar eens op, Zwijn!'
Ze gooit haar bloes op de grond.
Hup, weg met die bloes!

Dan gooit ze haar rokje op de grond.
Hup, weg met dat rokje!

En daar gaat het lintje uit haar staart.
Hup, weg met dat lintje.
En kijk!
Muisje gooit de bloem ook op de grond.
Hup, weg met die bloem.

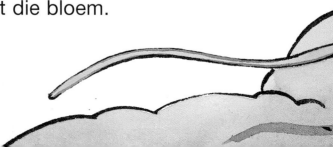

17

'Snap je het nu, Zwijn?' vraagt Muisje.
'Nee,' zegt Zwijn.
'Ik snap er nog niets van!'
'Oo,' roept Muisje.
'Ik weet wat er is!
De hoed!'
Ze gooit de hoed snel op de grond.
'Kijk Zwijn!' zegt ze.
'Zie je nu wie ik ben?'
'Muisje, Muisje!' roept Zwijn.
'Wat fijn dat je er bent!
Ik zag niet dat jij het was!'

Muisje lacht.
Ze wijst naar de grond.
'Dat kwam door de bloem.
En door het rokje en het lintje en de bloes.
En heel erg door de hoed.'
'Ik zie het,' zegt Zwijn.
'Zeg Muisje, wil je een stuk taart?'
Het is een leuk feestje!
Muisje is blij.
Ze heeft geen feestlint, geen feestbloem en
geen feestrok.
Ze heeft ook geen feestbloes en geen
feesthoed.
Maar Zwijn weet wel wie ze is!

19

  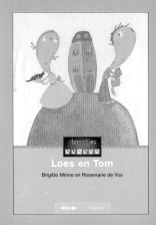

sterretjes bij kern 9 van Veilig leren lezen

na 25 weken leesonderwijs

1. Jij bent erbij!
Anneke Scholtens en Milja Praagman

2. Muisje
Mirjam Oldenhave en Ina Hallemans

3. Loes en Tom
Brigitte Minne en Rosemarie de Vos